献给我的妈妈
和世界上所有的妈妈们

荷花镇的早市

周 翔 文／图

"阳阳来啦!" "阿姑好!"
阳阳跟爸爸妈妈一起回到乡下,给奶奶过七十大寿。
明天他要早起,跟姑姑一起到集市上去买东西。

"吱嘎——吱嘎——"清早的薄雾里，响起了摇橹声。

小船拐了个弯，划进了一条水巷。

“咦，这里的房子怎么都盖在水里呀？他们怎么去买东西呢？”
“坐船去呀。在我们这儿，河就是路，船就是车。”

"看，到那边我们就下船啦。""他们都是来卖东西的吗？"

"是啊，这边是卖菜的，那边是卖酒的，那些坛子里装的都是自家酿的米酒呢。"

阳阳和姑姑走进一条巷子。

"啊——这么早就有人来卖东西啦！""嗯，有很多人都喜欢在早晨买菜。"

"哎，李师傅，早！这是我哥的孩子阳阳，昨天回来的。""爷爷好！"
"好，好！都长这么大了！跟他爸小时候一个样！是回来给奶奶过大寿的吧？"

"对呀，对呀。在你店里订的蛋糕，我回头来拿。"

"嗷，嗷，嗷嗷……""哎呀，猪跑了！""没关系，叔叔会把它们抓回来。"

"阳阳，过来，过来，我们去买鞭炮。""太好了！"

穿过巷子就到了菜市场。

"刚上市的韭菜，掐掐看，很嫩的！""新鲜春笋，五块一斤！""四块卖不卖？"
"哎，新茶到了，回头过来喝啊！""好啊，好啊。"

"老板，我们家老太太今天过大寿，给我挑两只肥一点的鸡。便宜点儿啊！"

"好的，好的。"

"阿姑，那儿有小鸡在叽叽叫呢。"
"那你过去看看吧。不要乱跑啊！"

"哇，小鸡毛茸茸的，好玩，好玩！"

"小弟弟，要不要买几只？""我家阳阳住在城里，没法养鸡啊。"

他们在河边碰见了姑姑的熟人。"张阿婆，待会儿你们早点来啊，老太太可想你们呢
"好的，好的。我特地酿了老太太喜欢的米酒。""喔唷，老太太肯定很高兴！"

"阿姑，那边好热闹啊？"
"噢，是用花轿去接新娘子呀！"

"阿姑，那边'咚咚锵、咚咚锵'的，在干什么呢？"
"在唱大戏呢。好像快开始了，我们过去看看吧。"

"好啊好啊，快点，快点！"

"哇，这么多人在看戏呀！"

"这里一天要演好几场，大家都喜欢看。"

“你看，那边有个老婆婆还带着饭！经常有人过来一看就是一天呢。”

“啊……看一天？那我们也看一天吗？”

"不行啊，还有好多事要做呢——哎哟，蛋糕可能做好了，我们过去拿吧。"

"太好了，太好了，我最喜欢吃蛋糕啦！"

"大伯，给我称十斤水面。""谁过生日啊？""我们家老太太！"

"哦，老人家高寿？""七十啦！""大寿啊，恭喜！恭喜！"

"姑姑，鸡跳出来了！"

"嗯，都买好了。阳阳，我们回家吧。""这么快就回家啊？我还没玩够呢！"

"阳阳乖，奶奶还在家里等着我们呢。""那……就走吧。"

"今天，家里也一定会很热闹……"

周 翔

　　1956年生于陕西凤翔，在江苏南通度过童年，毕业于南京艺术学院美术系，毕业后一直从事出版社美术编辑工作，现任江苏少年儿童出版社《东方娃娃》主编。1992年参加中国现代绘本原画展（社团法人日本国际儿童图书评议会(JBBY)、日中儿童文学美术交流中心、国际儿童读物联盟中国分会(CBBY)等主办）。1998年作为江苏省中日儿童文学美术交流协会的理事前往日本进行交流，之后以《东方娃娃》为平台努力引进绘本，宣传绘本的理念、挖掘和培养新人，同时还从事儿童读物的插画和绘本创作。

　　其创作的绘本《小猫和老虎》1987年获全国儿童美术邀请赛优秀作品奖；《泥阿福》1992年获全国优秀少年儿童读物一等奖；《贝贝流浪记》获国际儿童读物联盟中国分会(CBBY)第一届小松树奖；《小青虫的梦》获1995年五个一工程奖；《当心小妖精》获国际儿童读物联盟中国分会(CBBY)第二届小松树奖。

蒲蒲兰绘本馆　荷花镇的早市

周　翔　文／图

责任编辑：杨文敏（美术）　熊　炽（文字）
出版发行：二十一世纪出版社（南昌市字安路75号）
出 版 人：张秋林
经　　销：新华书店
印　　制：凸版印刷（深圳）有限公司
版　　次：2006年6月第1版　2012年10月第7次印刷
开　　本：889mm×1194mm　1/12
印　　张：3
书　　号：ISBN 978-7-5391-3405-5
定　　价：29.80元